最好的东西买不到

6

毛妮妮　栾笑语　著

潘　婷　绘

知识产权出版社
全国百佳图书出版单位

今天是星期天，小花和小明来到妮妮家，和妮妮一起玩魔法杂货店的游戏。

"我来当售货员。"妮妮站在收银台的后面说。可小花和小明也想当售货员。

"我是最好的售货员，因为我的杂货店里什么都有！"妮妮说。

"不对，不对！"小明摇摇头说，"一定有些东西是你的杂货店里没有的！"

"我的店里有洋娃娃、小汽车，还有红色的皮球！"妮妮说。

小花说："棒棒糖、公主头上的王冠，还有亮闪闪的项链，你的杂货店里都没有。"

小明接着说："老师奖励的小红花、小花唱的歌，还有我讲的故事，你的杂货店里也没有！"

妮妮想一想，这些真的是没有呢！可是妮妮不服气，大声说："有！有！这些全都有！"

"没有，没有！"小花和小明也大声说。

3

听到孩子们的吵闹声，妈妈走过来了。妮妮委屈地靠在妈妈身边说："妈妈，小花和小明说，很多东西我的杂货店里都没有……"

"小花和小明说得很对。"妈妈告诉妮妮，"因为有些东西能买到，有些东西是买不到的。最最神奇的是，好多珍贵的东西都是买不到的。"

"真的吗？"妮妮、小花和小明都睁大了眼睛，异口同声地问。

妈妈笑着说："你们都想想，什么东西买不到？"

"阳光明媚的好天气买不到！"妮妮最先说。

妮妮喜欢在宽阔的广场上跑来跑去，可是最近几天总下雨，地上潮湿又泥泞，小朋友们都不能在蓝天和白云下玩耍了。

"下雨的天气也买不到！"小明接着说。

小明最爱下雨天，身披小雨衣，脚穿小雨靴，打着小花伞，在水坑里踩来踩去。

5

"下雪的天气也买不到！"小花连忙说。

小花盼着下雪天。洁白的雪花天上飘，房顶白了，大树白了，地面也白了。雪停了还能出门打雪仗、堆雪人，好玩极了！

"闪亮的星星也买不到！"妮妮拍手说。

夜晚的夜空最迷人，天上的星星眨眼睛。漫天星光洒身上，妮妮和妈妈数星星。

妈妈微笑着点点头说："大家一起来想想，还有什么买不到？"

妮妮、小花和小明，你看看我，我看看你，突然发现真的是很多东西都买不到呢！

"清新的空气买不到！"小花伸伸胳膊、伸伸腿，抬头做几个深呼吸。

"甘甜的泉水买不到！"小明喝过山泉水，清冽又纯净，爷爷用来煮茶喝。

巍峨的青山买不到。

奔涌的江河买不到。

8

大自然的鬼斧神工，
全都买不到。

健康的身体买不到。浑身舒服没病痛,
做什么都有力气。

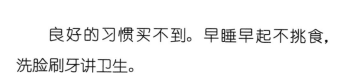

良好的习惯买不到。早睡早起不挑食,
洗脸刷牙讲卫生。

妈妈的亲吻买不到。早上醒来有"早安吻"，晚上临睡前有"晚安吻"。有了妈妈的吻，才有幸运、快乐的一整天。

爸爸的拥抱也买不到。爸爸的肩膀最宽厚，手臂最有力，能把妮妮高高地举起来、紧紧地抱住。

老师的爱护买不到。做错了，老师教；摔倒了，老师扶；遇到困难找老师，老师的办法最有效。

朋友的陪伴买不到。小花、小明和妮妮，手拉手一起玩，分享玩具和美食，一起长大的日子最珍贵。

快乐的心情买不到。看到花开，看到草绿，美丽、清新让人赏心悦目；授人玫瑰，手有余香，帮助别人，自己也快乐。

流逝的时间买不到。"一寸光阴一寸金，寸金难买寸光阴"。

学习时的勤奋买不到。背诗、认字、听故事，学得越多就懂得越多。

做人的诚信买不到。握握手、拉钩钩，约好的事情要做到。

原来，世界上好多珍贵的东西都买不到。

"可是，妈妈……"妮妮忽然问道，"买不到的东西，我们要怎样才能得到呢？"

"通过自己的努力呀！"妈妈说，"努力爬山，才能站在山顶；努力锻炼，才有好身体；努力坚持，才有好习惯；努力学习，才有好学识。努力就是得到最好东西的秘诀，有付出才能有回报。"

"别人的帮助更要记心间。"妈妈告诉孩子们。

得到他人帮助的时候，得到鼓励和赞扬的时候，得到朋友安慰和陪伴的时候，还有感受到他人善意的时候，都要认真地说声"谢谢！"

原来，好多珍贵的东西全都买不到！

妮妮有些沮丧，魔法杂货店没有魔法了，怎么办？

妈妈、妮妮、小花和小明，四个人坐在一起想办法。

魔法杂货店又重新开张啦！

这一次，小明来当售货员。

小花说："我要会背一首唐诗！"

"你要用努力来交换。"小明说。

小花努力学习了一整天，终于学会背诵了。

小明拍拍手说："你会背唐诗了！"

轮到妮妮了，"我想要小明讲故事，用什么交换？"

小明想一想，"什么都不用，因为我们是好朋友啊！"

友谊很珍贵，也是用钱买不到的。

最好的东西买不到

通过游戏，让孩子明白这个世界上，钱可以买到很多东西，如房子、汽车、食物等；但是有些东西却是花多少钱都买不到的，如健康、幸福、尊重、友谊、快乐、绿色的生活环境等。这些在我们的生命中是真正宝贵的，是不能用金钱来衡量的。让孩子了解金钱只是我们生活的一种工具，而最重要的，是我们能体会到的幸福的感觉。

我们要准备什么呢?

白纸和笔

1 爸爸、妈妈可以引导孩子回忆一下前5个游戏中的体会，可以问问孩子："孩子，我们已经看了6本书了，你能说说钱都有什么用途吗？"

2 接着可以问问孩子："世界上所有的东西都是可以用钱买到吗？""你觉得有没有什么是钱买不到的呢？"

3 可以给孩子讲一讲一些身边的故事。例如，小熊家的熊爸爸天天加班，周末经常不能陪小熊出去玩；某个城市的服装厂为了赚钱，排放臭臭的污水，破坏了美好的环境；幼儿园里的小洋虽然总是穿着很漂亮，但是总喜欢打人，班里的小朋友不喜欢和他交朋友；而小成虽然很朴素，但是却对同学很友善，班里的小朋友还是喜欢和他一起玩。

4 爸爸、妈妈帮助孩子把讨论过的事情都记录下来，将"买到的"和"买不到的"分别写在或者画在两张纸上。

毛妮妮

"财智少年"青少年儿童财商教育项目创始人，金融教育从业十余载，是中国最早从事青少年儿童金融启蒙教育、财经素养培养的实践者之一；曾任瑞银金融大学（UBS Business University）中国区总监，全面负责瑞银集团中国区"第二代培养计划 —— Young Generation（睿隽计划）"的策划、设计与实施，亲历中国超高净值人群财富传承，对于中产阶层人群的财富积累、财富观养成、财富意识打造具有独到见解；近年来，一直致力于传播正确的财富观、培养青少年经济社会的独立生存能力和理性选择能力，帮助其提升幸福感。

栾笑语

吉林大学文学硕士，资深媒体人。
长期关注宏观经济和微观经济、青少年财商教育，对儿童心理学也有研究。
现供职于《经济日报》，为主任记者。

财智少年订阅号　　　　财智少年服务号　　　　扫一扫听绘本

⚠ **警告WARNING:**
内含游戏道具，不适合3岁及以下儿童玩耍，请在成人指导下使用。

哪些买得到 哪些买不到呢？

荣誉

玩具

时间

飞机

文具

天上的星星

妈妈的爱

......

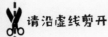

写一写，画一画

买得到

_____

_____

_____

买不到

_____

_____

_____